Alfie's Angels

In memory of Alfons,
who taught me about angels. H.B.

For Mum, Dad and Daniel,
for your support and encouragement. S.G.

First published 2003 by Mantra
5 Alexandra Grove, London N12 8NU
www.mantralingua.com

Text copyright © 2003 Henriette Barkow
Illustrations copyright © 2003 Sarah Garson

British Library Cataloguing in Publication Data:
a catalogue record for this book is available
from the British Library.

Alfiovi Andělé

ALFIE'S ANGELS

Henriette Barkow

Sarah Garson

Czech translation by Milada Sal

mantra

Alfie chtěl být andělem.
Viděl je ve svých knihách

Alfie wanted to be an angel.
He'd seen them in his books.

Viděl je ve svých snech.

He'd seen them in his dreams.

Andělé mají křídla a andělé umí létat.
Alfie chtěl křídla, aby mohl létat
včas do školy.

Angels have wings and angels can fly.
Alfie wanted wings so he could fly to
school on time.

Andělé umí tančit a zpívat překrásnými hlasy.
Alfie chtěl zpívat, aby mohl zpívat ve sboru.

Angels can dance, and sing in beautiful voices.
Alfie wanted to sing so that he could be in the choir.

Andělé se umí pohybovat tak rychle, že pouhým okem nejsou vidět.

Angels can move faster than the eye can see.

Alfie se chtěl pohybovat rychleji,
aby mohl dát více gólů.

Alfie wanted to move faster so
that he could score more goals.

Andělé existují ve všech tvarech...

Angels come in all shapes...

.... a velikostech,

...and sizes,

A umí dělat ty nejpodivuhodnější věci.

and they can do the most amazing things.

Alfie chtěl být andělem.

Alfie wanted to be an angel.

Viděl je ve svých knihách.
Viděl je ve svých snech.

He'd seen them in his books.
He'd seen them in his dreams.

Nyní, jednou v roce se děti mohou stát anděly.
Učitelé je vybírají.
Rodiče je oblékají.
Celá škola se na ně dívá.

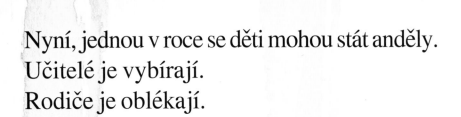

Now once a year children can be angels.
The teachers choose them.
The parents dress them.
The whole school watches them.

Alfiova paní učitelka
vždycky vybere dívku.

Alfie's teacher always chose the girls.

Nejhezčí dívku. Dívku s nejdelšími vlasy.
Dívku s největšíma očima a nejmilejším úsměvem.

The prettiest girls. The girls with the longest hair.
The girls with the biggest eyes and the sweetest smiles.

Ale Alfie chtěl být andělem.
Viděl je ve svých knihách.
Viděl je ve svých snech.

But Alfie wanted to be an angel.
He'd seen them in his books.
He'd seen them in his dreams.

Když se paní učitelka zeptala: "Kdo by
chtěl být andělem?"
Alfie se přihlásil.

When the teacher asked, "Who
wants to be an angel?"
Alfie put up his hand.

Dívky se smály. Chlapci se chichotali.

The girls laughed. The boys sniggered.

Paní učitelka se na něho upřeně zadívala. Paní učitelka přemýšlela a řekla: "Alfie chce být andělem? Ale jenom dívky jsou andělé."

The teacher stared. The teacher thought and said, "Alfie wants to be an angel? But only girls are angels."

Alfie pomalu potřásl hlavou.
A řekl učitelce všechno a andělech.

Alfie slowly shook his head,
and he told his teacher all about the angels.

Jak je viděl ve svých knihách.
Jak je viděl ve svých snech.

How he'd seen them in his books.
How he'd seen them in his dreams.

Čím víc Alfie mluvil, tím víc třída naslouchala.

And the more Alfie spoke,
the more the whole class listened.

Nikdo se nesmál, nikdo se nechichotal, že Alfie chtěl být andělem.

Nobody laughed and nobody sniggered, because Alfie wanted to be an angel.

Nyní nastal čas, kdy děti mohou být anděly.
Učitelé je učili, rodiče je oblékali.
Celá škola se dívala jak zpívají a tancují.

Now it was that time of year
when children could be angels.
The teachers taught them.
The parents dressed them.
The whole school watched
them while they sang
and danced.

Alfie byl anděl!

Alfie was an angel!